- 埃尔热 -

## 丁丁历险记

# 金钳螃蟹贩毒集团

中国少年儿童新闻出版总社
中国少年儿童出版社

casterman

北 京

图书在版编目（CIP）数据

金钳螃蟹贩毒集团／（比）埃尔热编绘；王炳东译
. -- 北京：中国少年儿童出版社，2009.12（2013.9 重印）
（丁丁历险记）
ISBN 978-7-5007-9459-2

Ⅰ.①金… Ⅱ.①埃…②王… Ⅲ.①漫画：连环画
—作品—比利时—现代 Ⅳ.①J238.2

中国版本图书馆 CIP 数据核字（2009）第 199509 号

版权登记： 图字：01-2009-4000

Translated into Chinese by Mr. Wang Bingdong
The publishers are most grateful to Mr. Pierre Justo for his valuable help.

Artwork copyright©1953 by Editions Casterman, Belgium
Copyright©renewed 1981 by Editions Casterman, Belgium
Simplified Chinese text©2010 by Editions Casterman, Belgium
This edition is published in P.R.China by **China Children's Press & Publication Group**

**JIN QIAN PANGXIE FANDU JITUAN**

出 版 发 行：中国少年儿童新闻出版总社
中国少年儿童出版社

出 版 人：李学谦
执行出版人：赵恒峰

| | | | |
|---|---|---|---|
| 作 者：埃尔热 | | 译 者：王炳东 |
| 责任编辑：李 橦 孟令媛 | | 中文排版：王海静 |
| 责任校对：杨 宏 | | 责任印务：杨顺利 |

社 址：北京市朝阳区建国门外大街丙 12 号楼 邮政编码：100022
总 编 室：010-57526071 传 真：010-57526075
发 行 部：010-57526568
h t t p：//www. ccppg. com. cn
E-mail：zbs@ccppg. com. cn

印刷：北京盛通印刷股份有限公司

开本：720×950 1/16 印张：4
2009 年 12 月第 1 版 2013 年 9 月第 7 次印刷
印数：111001 – 136000 册

ISBN 978-7-5007-9459-2 定价：12.00 元

图书若有印装问题，请随时向印务部（010-57526539）退换。
版权所有，侵权必究。

# 金钳螃蟹贩毒集团

你还算幸运！……没有被割伤。你看，罐头的金属边多锋利啊！

我们走吧！……以后别这么干了，不然，我会给你戴上嘴套，并用皮带牵着你走！

嘿嘿！……喂！……嘿嘿！……

运动员咖啡厅

服务员，再来一杯啤酒好吗？

好的。

这位可爱的丁丁！……真高兴遇见他！……

确切地说，真高兴遇见他，这位可爱的丁丁！

您的啤酒，先生。

祝你健康！

我也祝你健康！

啊！我这两位可爱的老朋友！真高兴遇见你们！……

不说这个了，有什么新闻吗？……

一切都很好，我们刚接下了一个特别重要的案子。

哦？……

确切地说，一个案子……呃……一个特别重要的案子……

哦？

你看……这个消息，你读了没有？……

"当心20法郎的假硬币！"……是的，这篇文章我看过了。

跟你说吧！侦破这个案件的任务交给我们了。

是吗？……那太好了！……那么……那么这些假硬币容易识别吗？

哦！你知道，像我们这样研究过假币的行家，是真是假，当然一眼就能识别出来，不过……

服务员！……多少钱？

先生，一共5法郎25生丁。

这是20法郎！……不过，还是有许多人会上当受骗的。

很抱歉，先生……

该死！我上当了，有人塞给我一枚假硬币！

给你！

谢谢！

如果你没有其他的事，请到我们那儿去。让你看看我们为了办案已经收集到的一些资料。

好的。

你把资料放在哪儿了？

这些资料可都是你整理的呀！

！

那是些什么东西？

那些东西？……都是安全局给我们寄来的。是从一个溺水者身上找到的东西。你看到了没有？……他身上有5枚20法郎的硬币，都是假的。奇怪，嗯！

太奇怪了！……我看看可以吗？……

我马上就回来！

我跟他一起去！

他干吗急急忙忙跑了？

糟糕！我忘了拿手杖！

糟糕！他忘了拿手杖！

他在那儿！……

我们追上他了。

你到底怎么啦？……

在溺死者身上找到的那些遗物当中有一张碎纸片，是从一个空罐头商标上撕下来的……

……而在遇见你们之前不久，这个空罐头还在我手上呢！……我把它扔进那个垃圾桶了。你们看……就是那个捡破烂儿的老头儿正在翻的那个……

丁丁！……你不害臊吗？像一只街上的流浪狗那样在垃圾桶里乱翻！……

你等——一下……

它不见了！……我真的把一个空螃蟹罐头盒扔在这里了，我记得很清楚……

打开你的麻袋！……

没有，空罐头盒不在里面……

真是又奇又怪……

确切地说，很奇怪……

怎么回事？……

这帮家伙有神经病！……他们在找一个空罐头盒！螃蟹罐头……

螃蟹罐头？……怪了，不是吗？……

现在，让我仔细研究一下这张碎纸片……

哦！哦！奇怪！上面有用铅笔写的字，有一半被水浸泡，有些模糊了……

我去找放大镜仔细看看……

怎么又在啃骨头？……哪儿来的骨头？……

你怎么老是不听话呀？……

我给你扔了！……你可要当心，别再犯这个臭毛病！……

我是不是把它放在书房里了？……

这里也没有！

嘟

？

哎呀！吓了我一跳！……原来是一阵风把门给关上了！

我现在明白了，小纸片……

……很可能是我第一次进书房里找放大镜的时候，被风吹走了！……

果然如此，纸片就在这里！……

现在让我好好儿看看……

我怎么变得昏头昏脑了？……我的确把放大镜放在这里了，就那么一会儿工夫！……

？

我用铅笔把上面的字再描一遍。先是一个"卡"……和"拉"，下面是"布"，还是"市"呢……好了，我看清楚了……

卡拉布让

卡拉布让！……这是一个亚美尼亚名字，卡拉布让……

这是个亚美尼亚名字。很好，下面该怎么办呢？……我还是不得要领！……

救命！救命呀！

发生了什么事？……

这是女看门人的声音。我去看看究竟发生了什么事……

丁丁先生，刚才有个日本人，也可能是中国人，来给您送一封信。他正要把信交给我的时候，来了一辆汽车……

……停在了门口。从车上下来三个人，扑向那位中国先生，把他打倒在地！……我当然高呼"救命"，但是其中一个歹徒掏出一把手枪威胁我，这么大的手枪！……然后，他们把那位日本先生扔进车里开车走了……那封给您的信也拿走了……

一个罐头加一个溺水者，加5枚假硬币，加"卡拉布让"四个字，加一个日本人，加一封信，再加上一桩绑架案，等于一连串难解的谜……

第二天早晨……

零零零
丁丁丁

喂？……是的……啊！是你吗？……有什么消息？……你说什么？……

是的，我们查出了那个溺水者的身份，就是在他身上找到那张神秘的纸片和5枚20法郎假硬币的家伙。他的名字叫赫贝尔·戴维斯，"卡拉布让"号货轮上的一名船员……

"卡拉布让"号货轮！你说的真是"卡拉布让"？……

发生了什么事？……是不是链条断了……啊！怎么是你们？……真危险！我差一点儿被那个又大又重的货箱砸扁了……你们二位跑到这里干什么呀？……

我们要上"卡拉布让"号货轮，了解一下那位淹死的船员的情况……

是吗？……我能不能陪你们上船？趁这个机会参观一下这条船……

你们在船上要待很长时间吗？

不会，最多半个小时。

他跟那两个侦探上船了！

我接待那两个侦探的时候，你好好看住他！……千万不能让他回到岸上去！……

我懂了……

那就这样说好了？……我半小时以后在这里等你们……

在这里？……好吧！

你好，大副。我们是来向你了解那位可怜的船员的情况……

很好，两位先生，很乐意为你们效劳。请到我的船舱去，在那里谈话会更方便一些……

小心，这里有道门槛……

好的……

……还有，这门也很矮……

⑩

……这么说，这个船员有酗酒的毛病。他死前，你在城里见到过他，他当时喝得烂醉如泥。他回到船上的时候，不慎掉进了水里。对我来说，事情很清楚了。

确切地说，事情很清楚。

打扰了，大副，我只是来告诉你一下，事情已经办成了……

很好，我过会儿去看看。

你既然有事，我们也该告辞了，大副先生。我们已经耽误你不少时间了。

一点儿也不！要是我能帮上一点儿忙，我将会非常高兴……

那个门的确有点儿矮……

是有点儿矮……

有一点点矮……

跟你们同时上船的那个小伙子让我转告你们，他不等你们，先走了。他刚离开……

啊！丁丁！……真的，我们把他给忘了……

小心，脚下台阶。

再见！

再见！

丁丁到哪儿去了呢？

这些强盗把我关在舱底！是不是……啊！有人来了。

喂，你们这个小小的玩笑还要继续开下去吗？

是，也不是，年轻人，这就要看情况了……

你们至少也应该告诉我，为什么要把我关在这个底舱里？……

别装糊涂了！……你自己比我们更清楚……

糟了……

喂

来卢！！！我的好来卢！……你是怎么进来的？……一定是在这两个坏蛋来看我的时候……

嘘！……你听……

嘟 嘟 嘟

船开走了……不知道要开到哪儿去。我们可不能在这里白白等死。来卢，来把绑绳咬断。一有机会，我们马上就逃离这帮海盗……

这是我刚从老板那里收到的密码电报，你读给我听。
"把丁丁沉入海底。"

我正好派佩特罗去给他送一些吃的！……那好吧！我先去找根绳子，一个大铁块，再来收拾他！……

谢谢你给我送饭来，可我的手被绑在背后，我怎么吃呢？……

那倒也是，我来给你稍稍松开一点儿。不过，别耍滑头，嗯！……

……你要是乱动一下……懂了吗？……

?

……他要求我给他松松绑，好让他吃东西。我靠过去准备解开绳子的时候，他狠狠地给了我一记重拳，而且……
……这算得了什么，等会儿大副来治你，那才够你受的……

你这个笨蛋！……白痴！……现在，一定要把他抓回来，蠢货！

……他现在手里有枪！

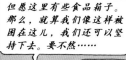

但愿这里有些食品箱子。那么，就算我们像这样被困在这儿，我们还可以坚持下去。要不然……

打开看看……

天哪！……螃蟹罐头！！！……

一点儿没错，这跟我们一直在找的那个空罐头盒一模一样！……

先不忙把这件事搞清楚，我们继续清点这里的东西……

还有香槟酒！……米卢，我的老伙计，我们的食物供应有保障了！

那还用说！

我的好米卢，请你喝杯开胃酒……

嘘！……

安静！……他们肯定在找我们！……一定不能让他们发现我们……

没有必要去打开这扇门，他这是自己把自己关闭起来了。里面什么可吃的都没有，他饿了总要出来的，这样我们就可以逮住他了……

……想得真美，先生们！

!?

是鸦片！……

我们可是在无意中发现了贩毒团伙的重大线索……

只是这样一来，情况完全变了！他们说得对，我们没有可以吃的东西！……

哎！没什么，我们还有喝的呢……

我看看，能不能从这里逃出去……

天哪！船摇晃得这么厉害！

不行，没法够着上面的舷窗，太高了……

除非……对了，我有办法了……

与此同时……

大副，船长找你……

船长？……这个老酒鬼找我干吗？……

是的，是我请……请你来的，大副，这太……太丢人了！他们要让我活活儿的渴死！……我……我连……连一滴威士忌都没有了！

的确，这是不能容忍的，船长。我马上去给你拿一些酒过来。

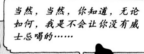

你，至少还有你，是我的好兄弟，阿兰。只有你……只有你……你……

当然，当然，你知道，无论如何，我是不会让你没有威士忌喝的……

……只有这样，我才能成为船上唯一的主人，想怎么干就怎么干……

夜晚降临……

天黑了，我可以实施我的计划了。

?

再试一次！……

没有人！！！……那么，是不是……

……是不是我威士忌喝多了……

嘘！……不许叫喊！

你……你是谁？……

是一个被劫持上了这条贼船的人，而且他……

贼船！……我……要知道，我就是这艘船的船……船长！……我可以叫人给你……你戴上镣铐！

谢谢，我刚挣脱掉镣铐才逃出来的。我在你那个装满鸦片的货舱里已经待够了！

鸦……鸦片？……在货舱里有……有鸦片？……在我……我的货舱……里？

你难道不知道？

鸦片！！！……这……怎么可能？……太可怕了！……我……我是个正派的人……而不是……可是，那是谁干的呢？……是阿兰，我的大副，他……他瞒着我……

你听我说，你一定要帮我。首先，你要向我保证，不再喝酒了。你要顾及你的尊严，船长！你的老母亲看到你这副样子，她会怎么说呢？……

我……我的老……老母亲？……

好了，好了，船长！……

呜……哇呜呜哇呜呜呜呜哇……呜哇……

看在老天的分上，你别哭了……

呜哇……妈妈！……妈……妈！呜哇！

我们去看看。他也许在耍酒疯。

来不及了！……我要被抓住了！……

呜哇……妈妈！……

怎么啦？这里出了什么事？……

妈妈！……呜哇……

我……我是一个不争气的人。

来，喝上一口，你会好起来的……

扑味

不……不行……我……我已向他……向他保证不再喝酒了。我不再喝了！

你向谁保证了？……

向一个……一个年轻人，他……他到这里来了……

什么样的年轻人？……你快回答我呀！

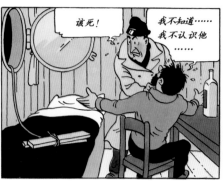

该死！

我不知道……我不认识他……

这个小浑蛋！……他竟然钻到这里来了！……幸好这酒鬼一喊，把他吓跑了。但他可能还会设法再来的……

占波，你留在这里，盯着这个舷窗。如果有人企图溜进来，你就把他干掉，明白了吗？这把枪给你……

好的。

该有个了断了。我们去把他藏身的货舱门炸开！

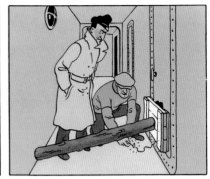

好了！……我们赶快避开……

轰

他肯定晕过去了……是的……要不然就是装死……

啊！这个坏蛋！

砰

砰
砰
砰

香槟酒的瓶塞！！！

怎么回事？……

砰

快!……快上去!……

大副,我倒是小心监视这个舷窗的,可是没注意到床底下那个柜子!……原来 他躲在里面!……

大副,我们的报务员出事了!……我刚才发现他被捆绑起来,嘴巴也被塞住了!

喂,大副,真有意思!……船上的一只救生艇不见了……

天亮了,我们算是暂时脱险了,"卡拉布让"号已从地平线上消失了。

我们还没有完全摆脱眼前的困难处境。这里离西班牙海岸应该还有60海里。我们一定要保存体力。你先睡个觉,然后由你来划桨,再轮到我休息。

好的。

天哪，我渴死了！……而且，好冷呀！……

我想起来了，这里有一桶清水和一些饼干……

……还有一瓶朗姆酒！

可我已经下保证不再喝酒了，我要信守诺言！

嘿，要是我只喝它一小口……

……只是为了暖和一下身子，总还是可以吧？

哈哈！……一口喝下去，浑身真舒服！

好，再喝一小口……

……然后把酒瓶扔了，我保证！

哟，瓶子已经空了！

可怜的孩子，他睡得真死呀！

不过，他肯……肯定也很……很冷……

哦！我有办法了……

!?

倒霉透顶！……就挨了一颗子弹，可正好打断了发动机的点火线！……幸好很快就可以修好。

快修吧。我来监视他们……

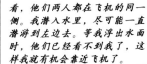

看，他们两人都在飞机的同一侧。我潜入水里，尽可能一直潜游到左边去。等我浮出水面时，他们已经看不到我了，这样我就有机会靠近飞机了。

你这样做不行吧？……

修得怎样了？……

快了，一会儿就修好了……

怎么样了？……

好了！……拧紧最后一个螺栓就行了……

举起手来！

往后退！……别耍滑头！你们知道我的枪法是很准的！……

他成功了！……小伙子真了不起！……

好！去找根绳子，把这两个家伙结结实实地捆起来……

把他们捆起来？为什么呢？……干脆把他们扔进海里去算了！这些强盗，当他们用机关枪向我们扫射的时候，他们什么时候犹豫过？

我们这样做，正因为我们不是强盗！……去吧，船长，把他们捆起来，然后我们上飞机……

现在，快告诉我们，是谁雇用你们来干这卑鄙的勾当？

啊！我明白你为什么充当好人了！你只是想从我们嘴里套出一些情况！但是，我们什么也不会说的！……

随你们的便。不过，等你们落入警察手里的时候，你们也许不得不开口说话了……

怎么，你会开飞机？……

你确信我们是飞往西班牙的方向？……

哦……是的……只是我不能肯定我们会不会到那里来临了！因为一场大风暴就要来临了！

我的上帝！我的上帝！太可怕了！……我们躲不过去，死定了！……

哟，一个酒瓶！……如果是威士忌，那就太好了……

果然是威士忌！……

既然要死，那也要等到我把最后一瓶酒喝干了！

你说，开飞机看来……很好玩儿，是吧？……那么，也让我来……来开一会儿飞机……

这可不是开玩笑的时候！……

我……我跟你说了，我……我就要试一试！……

把手放开！你疯了！……

我的上帝！太幸运了！……我终于恢复了飞机的平衡……

小心！……他要用酒瓶砸你！……

他听不见的，发动机把你的声音盖住了……

你要……要当心，乳臭未干的小水手，我不……不喜欢你开这样的玩笑！……

你到……到底让不让我开……开飞机？……我数一——二……三……

别烦我了！

尝尝这个，你这顽固的家伙！……

天哪！我这是怎么啦？

危险！……飞机就要坠落了……

我们真是死里逃生呀！

天哪！……那两个俘虏呢？……他们还在飞机里面！……

站住！⋯⋯你疯了！⋯⋯

可怜的丁丁！⋯⋯他这下完了！⋯⋯

来！⋯⋯接住这个家伙⋯⋯我去把另一个救出来⋯⋯

好了！⋯⋯告诉我，你肯定我们到了西班牙？

呃⋯⋯我⋯⋯怎么说呢⋯⋯我认为应该是吧

汪！汪！汪！

？

好大的一根骨头！⋯⋯你又是从哪里捡到的？⋯⋯

跟我去看看道，那边还有好多好多骨头呢⋯⋯

？ ！

你们看到了吗？⋯⋯我们大家都有份儿⋯⋯

是一只单峰驼！……

单峰驼？可西班牙没有骆驼呀……

唉！这里不是西班牙！……我们到了撒哈拉沙漠！……

撒哈拉沙漠！……这么说，那个动物……那个动物是死于……死于……

……当然是死于干渴啦！

怎么啦？……你怎么回事？……头晕了？……

干渴之地！……干渴之地！……

干渴之地！……

好了，振作起来！我们还没有到绝望的地步。

他看来快急疯了！

干渴之地……

那两个俘虏不见了！……

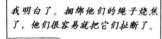

我明白了。捆绑他们的绳子烧焦了，他们很容易就把它们扯断了。

干渴之地……

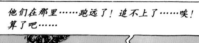

他们在那里……跑远了！追不上了……唉！算了吧……

我们走吧，船长！也许我们会幸运地发现一口水井……

干渴之地……

水！……给我水喝！……我再也受不了了……

鼓起勇气来，我们到沙丘背后的阴凉处休息一下……

好了，休息一会儿，你会觉得好受一些……

丁丁呢？你在哪儿？……给我水喝！

地平线上什么也看不到……只有一望无际的沙漠……

给我水喝！……

?!*?

我不知道怎样才能走出沙漠……

一瓶香槟酒！我去把瓶塞打开！

该死的瓶塞子，你怎么就拔不出来？……

畜生！接招！……

该死！我都干了些什么呀？？……

我还得感谢你，米卢……

我只是尽力了……

喂，别再闹着玩了，嗯！……我不是一瓶香槟酒，你可要记住了！

给我水喝！……

那边！……有个湖泊！……有水了！……有水了！……

别跑！你这个疯子！……那是海市蜃楼！……

水！……水！……

我早对你说了，那是海市蜃楼，没有什么湖泊。

可我明明见到了……

几小时以后……

سسسد سد بعسب تننتنا ب دالی

سع؟

ست السلس ك ! ا

啊！……一瓶勃艮第葡萄酒！

他又在哪儿看到一瓶酒了？

我来拔出瓶塞……

是你在喊"救命"吗?……

天哪!多么恐怖的噩梦!

我这是在哪儿呀?……出什么事了?……

你跟我到中尉那里去……

年轻的外国人来了,中尉……

啊,你来了,年轻人!快进来,很高兴看到你恢复体力了。

我是德库尔中尉,阿富喀尔哨所的指挥官。

很高兴认识你,中尉。我叫丁丁。可是我怎么会……

……到了这里?……啊,是这样的!昨天中午,我手下的人发现在南边远处的地平线上有一股浓烟升起。我马上想到可能是一架飞机失事了,立刻派出了一支巡逻队。他们沿着你们的足迹去寻找,最后发现你们一动也不动地躺在那里,于是把你们带到碉堡里来了。

啊!这么说,我的那位同伴也一起获救了……

他正好也来了!……请进,请进……阿赫麦德,请拿来三个玻璃杯和几瓶开胃酒……

这么说,那股黑烟是从一架失事飞机上冒出的吧?

是的,我们降落时有点儿过猛,飞机翻滚坠地,着火了……

谢谢你,中尉,我从来不喝烈性酒。

不喝?真的吗?……

呃……不……谢谢你,中尉,我……我也不喝……烈性酒,我是从来不沾的……

啊!你也不喝……好吧,我就不勉强你们了。

中尉,总之,是你救了我们的命!没有你和你的骆驼骑兵,我们早就渴死了。

正因为这样,你们更应该跟我喝上一杯!……好了,别说这些了,还是说说你们到这个偏僻的地方来干什么……

……现在报告最新消息。昨日暴风雨肆虐，一天之内，就造成了数起海难事故。"坦加尼卡"号汽轮在维科海域沉没，船上人员全部获救。"丘比特"号货轮在海岸搁浅，船上人员也安然无恙。此外，有关方面还……

接到"卡拉布让"号货轮发出的求救信号，另一艘汽轮"贝纳雷斯"号立即赶往出事地点进行援救。经过对发出最后求救信号的海域进行一整夜的搜寻之后，既未发现沉船残骸，也未发现遇难人员。人们由此推断，"卡拉布让"号连人带货已全部沉入海底……

你不觉得这很奇怪吗？

的确如此！……"卡拉布让"号可不是一只弹丸小船，活见鬼！……它不至于下沉得那么快，连放下救生艇的时间都没有。真让人无法理解！

我也是这样想的……中尉，有没有办法让我们今天就能离开这里，我想尽早赶到海边去。我会给你解释为什么要这样做。

今天就走？……这可以办到。我派两名向导跟你们走就可以了。近几个月来，这一带还是很安全的……

两小时以后……

愿真主保佑他们……

第二天早上……

中尉，刚接收到的一封电报……

谢谢。

紧急电报
T. O. 1026 S. C.
在秋明附近发现二十来名北非贝拉贝尔人劫匪正向格菲尔水井方向移动（句号）速派巡逻队（句号）

糟糕！……格菲尔水井正好是丁丁和他的伙伴的必经之地！……

阿赫麦德，请通知各位士官到我这里来。还有，我想起来了，你把昨天放在这里的那几瓶酒弄到哪儿去了？

我不知道，中尉。我没有动过那些瓶子……

这正是我美美地喝上两口的好机会，他们不会注意到我的。

格菲尔……水井。

祝你们身体健康，朋友们！……

啪啦

砰 砰 砰

醉鬼还真的受到神灵的保佑！……子弹怎么也打不着他，真是个奇迹……

无赖！……
妖孽！……
瘸脚水手！……
祖鲁人！
兵痞！……
马铃薯害虫！……

胆小鬼！……丑八怪！……寄生虫！……大麻脸！……

怪了！……他真把他们骂跑了！……

……如果你们敢回来，那就尝尝我这把枪托的滋味！……

你真了不起，船长！……太棒了！……

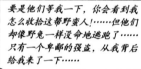

要是他们等我一下，你会看到我怎么收拾这帮野蛮人！……但他们却像野兔一样没命地逃跑了……只有一个卑鄙的强盗，从我背后给我来了一下……

冲呀！……追上他们！……把那些俘虏都给我带过来！……

天哪！原来是中尉！……

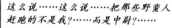

这么说……这么说……把那些野蛮人赶跑的不是我？……而是中尉？……

38

怎么样！我们及时赶到了，不是吗?……

你来得正是时候，中尉！但是你们怎么会到这里来呢?……

很简单。今天早上我接到一封电报，向我报告说在格菲尔附近有劫匪出没。我们立刻骑上骆驼……赶到这里来了!……

现在，等我的部下带着抓到的人回到这里以后，我们就护送你们向北部出发，以免再碰上类似的意外事件……

经过几天的长途跋涉，丁丁和船长到达了摩洛哥海岸的大港口城市巴格赫……

我们先到港务总管那里去。也许他可以向我们提供有关"卡拉布让"号的消息。

好主意……

丁丁!……丁丁!……你上哪儿去呢?……

别挡路，让我过去！……

你们都走开！

走开！

一群野蛮人！都怪他们，我看不见丁丁了。他也真是的，怎么急匆匆跑了？……

小心！……别让他从我眼皮底下溜掉了……

?

太气人了！……他肯定走进了这里的一间房子，可是哪一间呢？我不能在这里等到他出来，这很危险，我会被他认出来的。嘿！算了，我下次再来。

我怎样才能找到丁丁呢？

现在最要紧的是找到船长。希望他会想到直接去港务主管那里等我。

现在，去……去找港……港务主管！……多……多少钱，小水手？

5法郎。

？

警……警察！警……警察！

喂！你又怎么啦？

有……有人……这……太丢人了！……有人偷了我的钱……钱包！我……我要……报案！抓……抓小偷！我……我的钱包！……

真丢脸！……这是个……小……小偷横行的城市……把钱……钱包还给我！

这是你的钱包！……别再这样大叫大嚷了！……它是从你口袋里掉出来的。以后你自己当心一点儿，别闹得沸沸扬扬的！

你现在回家去吧，嗯！要是你再惹事，就把你送到警察局去。明白了吗？

明白了，海军上将！

我们♪♫是♪海军♪的♪♫壮♪小伙子♪

阿米拉山

？

该死！……这艘船是"卡……卡拉布让"号！警察！把他们抓起来！……警……警察！

警……察！警……警察！

我告……告诉你们，这明明是"卡拉布……布……布让"号，该死！我……我就是这艘船的船……船长！它才不叫什么"阿米拉"……什么"山"……应该把这伙人通通抓起来！

够了！到警察局去！

我告诉你们了，这是"卡……卡拉……布让"号！船上装满了鸦片！

？

船长！……应该马上报告大副！

喂？……是的，是我……什么？……你疯了？……船长在这里？……你肯定没看错？……他认出了我们的船？……天杀的！……他被送进警察局了？……很好，我就来。

与此同时……

奇怪，他还没有来。我可是对他说过我们先到港务主管那里去……

第二天上午……

喂？……是的，这里是港务局……啊！丁丁先生？……你同阿道克船长来过没有？……没有，我们还没有见到他……

真让人担心。他肯定出事了。我到警察局打听一下。

警察

阿道克船长？……我们刚把他放了，就五分钟以前。昨天晚上，他被带到了这里，因为他在公共场所滋事引起公愤。他离开的时候声称要到港务主管那里去，还说他有极其重要的情况要告诉你。你要是跑步去追，很快就会赶上他的。

极其重要的情况？……到底是什么呢？

啊！他在那里。

"卡拉布让"号在这里！……要是告诉丁丁这个消息，他肯定要大吃一惊。

哦！我的鞋带开了。

来人啊！救命呀！

他们把船长绑架了！

哐当

这门怎么也打不开!……

发动机的声音!……他们是不是开车跑了?

晚了一步!……

另一辆汽车!……管它是谁的,我跳进去开走。无论如何也要把船长救出来!

好了,发动起来了!……上路,开足马力!……

怪了……怎么回事?……车子怎么倒着走?

停车!……后面那辆车的喇叭肯定接触不良……

无论如何不能让他们跑了！……

有救了！……一辆出租汽车！……

出租汽车，去南站！

快，跟上前面那辆车！

？ ？

年轻人，请你下车，是我先上车的！

对不起，先生，我是在你之前上车的！

年轻的朋友，我可没有跟愣小子争辩的习惯！……下车！越快越好！……我一刻钟以后一定要赶到南站。

我呢，我要立刻赶到巴斯德医学院……

……因为我刚被这条疯狗给咬了！

快，司机，快，追上那辆车！

哪辆车呀，先生？

哪辆车？……见鬼！就是那辆……天哪！车子不见了！

我只好回到那条小巷去，"卡拉布让"号的大副在那里一转眼不见了。

不过，为此我还得穿上阿拉伯大袍子，不然我会被他认出来的。

啊！那里正好有一家旧衣铺……不会吧……我没看错人……

哟！果然是我的朋友杜邦和杜庞！……

感谢上帝！你竟然平安无事！……我们真的没指望能够活着见到你！

我觉得他真了不起，虽然我们化了装，他还是一眼就把我们认出来了！

现在，快告诉我们，"卡拉布让"号上究竟发生了什么事？我们看到了你发过来的电报，真的大吃了一惊。电文是这样的："我是丁丁。曾被囚禁在'卡拉布让'号船上。现已逃离货轮。货轮内藏有鸦片。"我们立即坐上飞机赶到巴格赫来了……

……"卡拉布让"号本应在这个港口停泊，我们到这里以后才听到货轮沉没的消息。你肯定这条船私运鸦片？

绝对肯定。毒品就藏在罐头里，外面贴的商标上画着一只红色螃蟹，印着"顶级螃蟹"的字样。

螃蟹罐头？……对了，我想起来了……

我在刚才买袍子的那个店铺里见过一个这样的罐头。

真的吗？……快，我们去看看！

罐头不见了！

放在这桌上的那个螃蟹罐头哪里去了？

在这儿呢，老爷。我把罐头放在这个货架上。

就是它！……同样的商标，我认得出来。

把罐头打开！

打开了，老爷……

你瞧！

是螃蟹肉！

当然是了，老爷，是螃蟹肉！上好的螃蟹肉，老爷，质量很好。

没错，是螃蟹……我在"卡拉布让"号货轮上看到的也是这种罐头，可里面装的是鸦片。

嗯！奇怪。

确切地说，稀奇又古怪……

告诉我，你在哪儿买的这种罐头？

从穆罕默德·本·阿里的杂货店买的，在街头拐弯……

你们在这里干什么？

啊！你是店铺的主人？……

你们店里的螃蟹罐头是从哪儿买来的？我很想知道供货商的名字和地址……

螃蟹罐头？……先生，我是从奥玛尔·本·萨拉特那里进货的，他是巴格赫市头号商人。他很富有，先生，非常富有！……他拥有一座富丽堂皇的别墅，许多名贵的马匹和汽车，在南方还有大片的土地。他甚至还有一种会飞的机器，先生，就是你们外国人称为"飞机"的那个东西……

噢？……太好了，谢谢你……

你们能不能帮助我私下调查一下这个奥玛尔·本·萨拉特的情况？……特别是他那架私人飞机的注册号码。但是调查时一定要谨慎小心，绝对不能走漏风声。

请你相信我们，朋友。谨慎小心，这可是我们的职业习惯。"守口如瓶"是我们的座右铭。

对，"守口如瓶"，这是我们的座右铭……

现在，该去解救船长了。走吧，先去买件衣服。

喂？大副吗？……我是汤姆……是的，我们把船长抓起来了……是的……他有过小小的挣扎，但那时码头上很冷清，他的叫喊声没有惊动什么人……好的……你要出来？一小时以后？……好的。

与此同时……

奥玛尔·本·萨拉特先生住在这里吗？……我们想找他谈谈。

我的主人刚刚出门，老爷！那边骑着驴子走的，就是他……

啊！是他吗？……

让开！……快给尊贵的奥玛尔·本·萨拉特让路！

我们跟在他后面。

他进去了。我们也进去吗？

当然啦，我们也进去……

进入清真寺
请脱鞋

? ?

一小时以后……

我怎么会摔了一跤呢？……

肯定是凹凸不平的路面把我绊倒了……

哦哟！……好危险呀！

我溜出去了，跟着他进去。如果有人盘问我，那好！就说我是来要饭的！……

你到这里来干什么？……

行行好，尊敬的老爷……真主会保佑你的……

滚出去！臭叫花子！……寄生虫！……去死吧，你这只癞皮狗！

他怎么这样无礼……

哎呀！……看来事情并不像我想象得那么简单。我现在该怎么办呢？哟，我想起来了，米卢在哪里呢？……

等着先知的惩罚吧！……你这个盗贼！

?!

回来，你这条癞皮狗！还我的羊腿！……

再不进去，就没机会了！……

那可是整只羊腿呀！……这只臭狗！……哼！别让我再逮住它！

请问，老爷，阿兰先生来了吗？

糟糕！他已经回来了！

是的，他刚到，阿卜都·特拉姆。

快！……到地窖里躲一躲。

很好。我这就去见他。再见。

天哪！他朝这边来了！

怎么？……他不见了？……他总不至于从人间蒸发掉吧！……

既没有秘密通道，也没有翻板活门，敲打墙壁和地面发出的声音也都是实心的。真有点儿邪门。

汪！

米卢！……你在这里！你真把我吓死了！

啊！小滑头，我明白了，你躲在通风口里啃你的羊腿！

我呢，米卢，我像那个老第欧根尼那样，也在搜寻一个人！你不知道第欧根尼是谁吧？……他是古希腊的一位哲学家，居住在一个木桶里……

住在木桶里！……住在木桶里，米卢！……见鬼！我想我找到答案了！……

碰碰运气，说不定这个木桶能打开……

我想能行！这里头有一些绞链……

打开了，米卢！这里有条通道！

另一头还有一道门！就是这里，我的好米卢，我们找对了地方……

好哇!……是"卡拉布让"号船上的螃蟹罐头!……

强盗!

畜生!

船长的声音!……

你爱怎么叫就怎么叫吧,谁也不会听见的。奉劝你还是放聪明一点儿。听好了,最后再问你一次,丁丁在哪儿?……

我在这儿!……

举起手来!……谁也不许动!喂,你去……给船长松绑……

快过来!……快过来!……让我拥抱你!

53

哎呀呀!……这可都是好酒啊!……哦!太可惜了!

……别干蠢事了,嗯!……现在可不是喝酒的时候!

别说了!……你真的把我当成了酒鬼?

怎么回事?……我头晕得厉害……

♫我是山大王♪♬

他们都醉了!

特—拉—拉—呜唏♪♬♩特—拉—拉—呜唏♪

你要……你要……小心呀♪穿白色♫服装的女士♪在注视……着你……♪

一定是酒气把他们熏醉了……他们已是瓮中之鳖,只要把他们一个个抓起来就行了!……

特—拉—拉—呜唏♪

我先把这个家伙带走,你们随后就来,好吗?……

特—拉—拉—呜唏♪

我是山大王♪

好了!胡闹够了!撒手,把酒瓶给我!

还我酒瓶,无赖!……背信弃义!……报仇!……叛徒!……异教徒!……奴隶贩子!……冗官僚!

海盗!
素食者!
废纸一张的四国条约!

如果他再捣乱,我一定要把他干掉!

55

海盗!……水贼!

嘿!你给我闭嘴,老酒鬼!

小丑!

碳氢化合物!

狙击人!

加纳克人!陀螺仪!

?!

我要报仇!……

狗皮膏药!……马铃薯害虫!……椰子!……跳梁小丑!食人族!

追,呼呼!呼呼,咬住他不放!

类人猿!……破坏圣像狂!……

特—拉—拉—啦 嘀 ♪♪♪

与此同时……

那是奥玛尔·本·萨拉特老爷,他从清真寺回来了。

他已经回家了,我们是不是去盘问他一下?

好主意!……

老爷,有两位外国先生想找您谈谈,说他们奉命来向您了解一些情况。

好吧,带他们进来。我可以接待他们……

是这样的,奥玛尔先生,我们接受委托,要调查有关你的一些情况……

当然是私下进行的调查……

哦?……调查哪一方面的?……

我们的一个朋友,一个叫丁丁的年轻人,他怀疑你从事贩卖毒品的活动。

萨拉特先生,这是真的吗?

?!

先知在上!……你们胆敢怀疑奥玛尔·本·萨拉特!……给我滚出去,你们这些异教徒狗杂种!马上给我从这里滚出去!要不然,我叫把你们的皮活生生地剥下来!

?

大草包！

语无伦次！……无脊椎动物！……甘草汁！……

丁丁！！！

呼呼！呼呼！

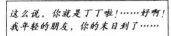

这么说，你就是丁丁啦！……好啊！我年轻的朋友，你的末日到了……

小心点儿！……玩枪可是很危险的呀……

这个人是谁？……

奥玛尔·本·萨拉特！……我们刚刚盘问过他，他向我们保证说他是清白无辜的！

这个大胖子好重呀！

他清白无辜？……我刚在他的地窖里发现了装鸦片的罐头……而且，你们看……

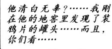

看看他的项链，是两个纯金的螃蟹钳！……他就是贩毒集团的头子，我敢肯定……快去给警察局打电话！……

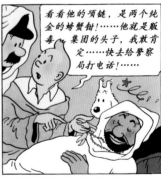

喂，喂，警察局吗？……我们是资深侦探杜邦和杜庞。经过长时间和危险的调查，我们成功地侦破了一个贩卖鸦片的集团……是的……一网打尽……集团的头子是一个叫本·萨拉特的家伙。我们准备把他交给你们处理……

你说什么？……奥玛尔·本·萨拉特？你不是拿我穷开心吧？奥玛尔·本·萨拉特，他可是巴格赫全城最受尊敬的人物，你们竟然……

……逮捕了他，是的……如果我们有半句假话，让天塌下来砸我们的头！

你说得太对了！

奥玛尔·本·萨拉特是鸦片走私犯！真莫名其妙！……可那里又出什么事啦？

恶棍！吸血鬼！

是他呀！……怎么又是他！

太好了！……警察来了！

应该抓住这个人！……他是一个匪……匪徒，一个强……强盗！

对付你这样的人，不是用木棍，更该用警棍狠狠地揍你一顿！

他用木棍打……打了我

啊！警察来了！……先生们，这就是我们逮着的那个人！

确切地说，就是这个人！

请派几个人跟我走，地窖里还有几个他的同伙！

大副逃走了……他是他们当中最危险的一个……

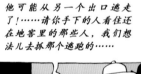

他可能从另一个出口逃走了！……请你手下的人看住还在地窖里的那些人，我们想法儿去抓那个逃跑的……

我们到码头去。他是个海员，很有可能逃到那里去了……

警察！警察！

有人偷走了我负责看管的一艘小艇！有个家伙跳了上去，开足马力跑了！

就是他！我认出来了。快，再找艘小艇来！

怎么啦？……船怎么不动呀！……

缆绳！……你忘了把缆绳解开！

说得对，我们把缆绳给忘了！

等一等，用小刀割会快一点儿！

行了吗？

行了！

我们可以追上他！……我们的小艇比他的快！……

糟糕！他追上来了！

该死！……发动机熄火了！……怎么回事……天哪！杜邦和杜庞哪儿去了？……

有什么东西把螺旋桨给缠住了……

一张渔网……行了！小艇又可以开走了……

该死，他又追上来了！……

一！……

二！……

三！……

小艇晃动得很厉害！……一场激烈的搏斗！……啊！有个人站起来了！……

谁呀？……

我敢肯定，是丁丁！……他把对手给制伏了！……小艇掉了头！……开回来了！……

快！把望远镜给我！

?!

好哇！他把大副给抓回来了！……"卡拉布让"号全体船员都到齐了！……

冷静一些，队长！你要干什么？……多亏了船长阿道克，我们才能认出伪装成"阿米拉山"号的"卡拉布让"号货轮，并且把船上全部罪犯一网打尽……

你快来，上面有个人等着你呢。

衷心祝贺你，丁丁先生！……

？

这个人是谁呀？……

我来自我介绍一下，我是日本横滨市安全局的久良。在"卡拉布让"号前船长的协助下，警方刚把我从货船底舱里解救了出来。我是在给你送信的时候被绑架走的，并且被囚禁在船上……

啊！原来是你。

是的，我本来是想提醒你，要是你介入这个案件可能碰上的种种危险。我当时也在跟踪这个组织严密的团伙，它的活动范围很广，一直延伸到远东地区。有一天，我遇见了一名叫赫贝尔·戴维斯的海员……

……他是我船上的一名船员……

他后来淹死了。

是的。他当时喝醉了，夸口说他可以给我搞到一些鸦片。为了证明这一点，他给我看了一个空罐头盒，说毒品就藏在里面。我要他在第二天带来一个装上鸦片的罐头，第二天他没有来，而我却被人绑架了……

是的，他们把他干掉了！可是，我们在他身上找到了一张商标碎片，上面用铅笔写上了"卡拉布让"的字样。你能不能告诉我，这是怎么回事？

是的，我曾经问过他所在那条船的名字。他当时醉醺醺的，说话含糊不清。我就叫他写下来，他从罐头商标纸上撕下一小截，在上面写上了船名，随后把碎纸片塞进他的口袋里了……

几天以后……

……多亏我们年轻的同胞丁丁先生，警方把这个金钳螃蟹贩毒团伙一网打尽，所有成员都被投入了监狱。

这里是中心广播电台。尊敬的听众们，下面请听远洋轮船船长阿道克先生的讲话，他演讲的题目是……

……酒是海员的头号敌人。

丁零

61

你好，丁丁先生！……你的邮件……还有一个包裹……

包裹里会是什么东西呢？

打开看看不就知道了？

我可要提高警惕！……要是个爆炸装置呢？……那些强盗可是什么事都干得出来的……

现在，请听船长讲话……

……因为，对海员们来说，最可怕的敌人，不是制造灾难的暴风雨，不是……

……冲垮甲板，横扫一切的惊涛骇浪，也不是撞断船身的险恶暗礁。海员们最可怕的敌人是酒！

哦哟！……这广播室里可真热呀！……

咕嘟……咕嘟……
咕嘟……
嘟……哐当……嘿

怎么回事？

这里是中心广播电台。女士们，先生们，请大家原谅，由于阿道克船长突然感到身体不适，我们不得不中断这次的节目……

喂，中心广播电台吗？我是丁丁。请问阿道克船长现在情况如何？我想他的病情不会太严重吧……

不，一点儿也不严重。船长现在已经好多了……是的……不……他是在喝了一杯清水以后才感到不舒服的……

完

HERGÉ-